Le Petit Lapin
étourdi

Texte et illustrations de Cyndy Szekeres

DEUX COQS D'OR

Tête-en-l'air, le petit lapin, regarde par la fenêtre et se dit : « Quel beau temps, aujourd'hui, je vais aller nager ! » Il met son maillot de bain, son bonnet de bain, ses palmes, et il sort.

« Mais il fait beaucoup trop froid pour se baigner », dit-il et il rentre chez lui.

Tête-en-l'air enfile une chemise et une salopette. Il s'assied à la table de la cuisine et il boit du jus d'orange. Puis, il va s'amuser dehors.

« Il y a beaucoup trop de vent pour jouer dans
le bac à sable ! » dit-il, et il rentre à la maison.

Tête-en-l'air enfile un pull bien chaud. Il court chercher son cerf-volant et Papa l'aide à démêler la ficelle qui est tout emmêlée.

Puis Tête-en-l'air sort à nouveau. « Oh ! non !
maintenant, il pleut ! gémit-il. Je ne peux pas faire
voler mon cerf-volant ! »

Quand Tête-en-l'air rentre à la maison, c'est l'heure de déjeuner. Après le repas, il met son ciré, son chapeau de pluie et ses chaussures en caoutchouc qui étaient cachées sous son lit.

Une fois dehors, Tête-en-l'air est surpris :
la pluie s'est transformée en neige !

Alors, il rentre chez lui. Maman lui prépare un grand bol de chocolat et lui lit son livre préféré. Puis, Tête-en-l'air met sa combinaison de ski, ses bottes, son bonnet et ses moufles.

Dehors, il s'assied sur sa luge et descend deux fois la colline derrière la maison. Mais voilà qu'il fait nuit et Maman lui crie par la fenêtre qu'il faut rentrer.

Papa lui dit : « Tiens, regarde ! Voilà ce qu'il faut que tu mettes maintenant ! » Il aide Tête-en-l'air à enfiler son beau pyjama rouge et va le border dans son lit.

Tête-en-l'air embrasse son papa et lui dit :
« Je suis content de me coucher. Quand je suis dans
mon lit, je peux rêver et, dans mes rêves, il ne fait

jamais trop froid, il n'y a pas trop de vent, il ne pleut pas, il ne neige pas… Alors, pour aller jouer dehors, je peux m'habiller n'importe comment ! »

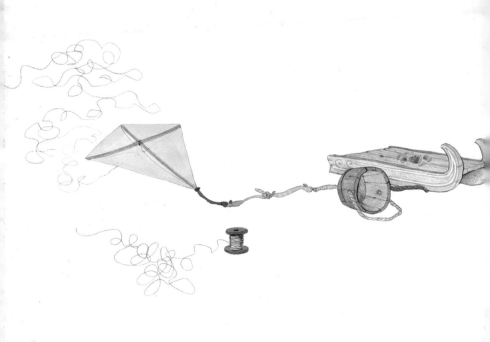